Heinemann Educational
a division of Heinemann Publishers (Oxford) Ltd
Halley Court, Jordan Hill, Oxford OX2 8EJ

Oxford London Edinburgh
Madrid Athens Bologna Paris
Melbourne Sidney Auckland Singapore Tokyo
Ibadan Nairobi Harare Gaborone
Portsmouth NH (USA)

First published 1993

94 95 96 97 10 9 8 7 6 5 4 3 2

A catalogue record for this book is available from
the British Library

ISBN 0 435 37000 6

Produced by Green Door Design Ltd. Basingstoke

Cover and inside illustrations by Neil Hague

Printed and bound in Hong Kong

We would like to thank the following:

Editions GALLIMARD, Georges Jean, 'J'aime et je
déteste', Ecrit sur la page pp.6–7; **United Media**,
pp.4–5.

Photographs were provided by:

Allsport p.3 (top photo); **Sporting Pictures (UK)**
pp.1–3.

3

Lire *davantage*

Collection A
Niveau jaune (1)

Les autres titres de Niveau jaune sont:

Auteur: Su
Sous la dire

0435370006

Heinemann

Le Sport ... des moments de joie et des moments de catastrophe

La course est dure, mais si on gagne, c'est super!

Stefan Edberg gagne la finale à Wimbledon.
Il aime le tennis, et il aime gagner.

la joie = *joy*
dur(e) = *hard (work)*
gagner = *to win*

Un but! Ces foot-
balleurs aiment
le football!

Le numéro douze
tombe de son
cheval. Aaah!

un but = *goal*
un cheval = *horse*

Un skieur tombe. Les accidents de ski sont fréquents.

Une voiture renversée: la course automobile est aussi un sport dangereux.

renversé(e)   =   *overturned*

on achète …?	=	*shall we buy …?*
une glace	=	*ice-cream*
la noisette	=	*hazelnut*

peut-être	=	*perhaps*
essaie	=	*try*
pistache-amande	=	*pistachio-almond*

menthe = *peppermint*
choisir = *to choose*

J'aime...

J'aime la télé.

J'aime les B.D.

J'aime mes copains.

J'aime les bouquins.

J'aime mes parents,

Pépés et mémés,

Mon chat et le vent.

Lucky Luke, les fées …

une B.D.	=	*cartoon strip story*
un copain	=	*friend*
un bouquin	=	*book*
un pépé	=	*grandad*

une mémé	=	*granny*
le vent	=	*wind*
Lucky Luke	=	*a French cartoon character*
une fée	=	*fairy*

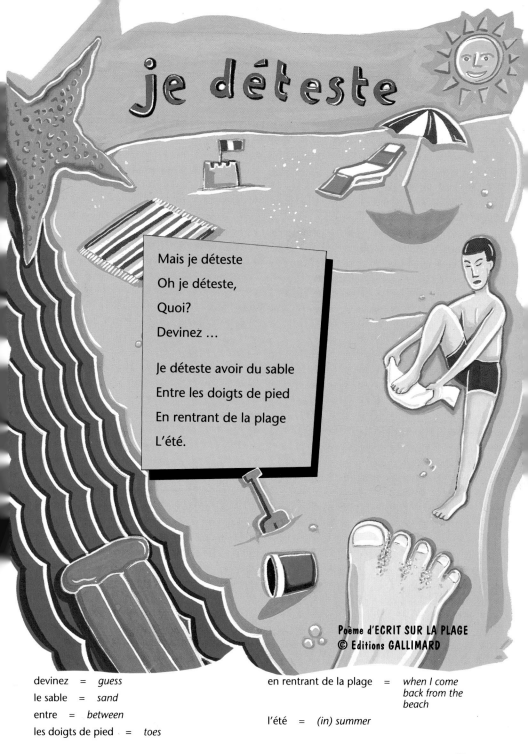

je déteste

Mais je déteste
Oh je déteste,
Quoi?
Devinez …

Je déteste avoir du sable
Entre les doigts de pied
En rentrant de la plage
L'été.

Poème d'ECRIT SUR LA PLAGE
© Editions GALLIMARD

devinez	=	*guess*	en rentrant de la plage	=	*when I come back from the beach*
le sable	=	*sand*			
entre	=	*between*	l'été	=	*(in) summer*
les doigts de pied	=	*toes*			

Activité

Regarde les dessins. Lequel n'est pas dans la bonne colonne?

J'aime

Je déteste